WENDY HARMER

Ilustrado por Gypsy Taylor

BEASCOA

A mi madre, que es realmente mágica.

Título original: Pearlie and her Pink Shell
Traducción: Estrella Borrego

Segunda edición: agosto de 2011

Publicado por primera vez por Random House Australia, 2008

ISBN: 978-84-488-2857-8
Depósito legal: B-30.866-2011
Impreso y encuadernado en España por Bigsa.

Era una calurosa tarde de
verano en el Parque de la Alegría.
Las flores se inclinaban bajo los rayos del
sol y los pájaros descansaban a la sombra de los
árboles. Perla, el hada del parque, había estado
desde el amanecer cuidando de que todo
estuviera perfecto, como cada día.
Estaba cansada y con ganas de
echarse una siestecita.

Por fin se echó a volar rumbo a la vieja fuente de piedra, donde Perla tenía su casa. Nada más llegar vio que algo no estaba perfecto en el Parque de la Alegría. La fuente estaba rodeada de andamios de metal, plásticos y botes de pintura.

—¡Rayos y estrellas! ¿Qué ha pasado aquí? —se preguntó Perla. Voló por debajo de las cintas de plástico que habían colocado los obreros del parque y descubrió alarmada que su adorado caparazón rosa estaba recién pintado, pero ¡de un triste gris!

—¡Oh, no, gris no! —exclamó Perla. El gris era un color que no le gustaba. Le recordaba el cielo del frío invierno o el pelo mojado de un perro. Perla no se imaginaba viviendo en una casa que tenía el color de un día de lluvia. Pero por suerte, sabía lo que tenía que hacer.

—Usaré mi varita mágica para devolverle al caparazón su precioso color rosa —se dijo.

Perla entró en el caparazón con mucho cuidado para que no se le quedaran las alas pegadas a la pintura, y se puso a buscar su varita.

—¡Huy, qué horror! —Perla arrugaba la nariz. El olor a pintura era insoportable. Echó un rápido vistazo alrededor pero no encontró su varita. El olor la estaba mareando. Hizo un fardo con algo de ropa y salió de allí como un cohete.

—La pobre Perla se sentó un momento en una flor para recuperar el aliento. No podía entrar de nuevo en el caparazón. Tendría que esperar hasta que la pintura se secase.

Entonces se le ocurrió que podía pasar la noche en casa de Jasper, en el viejo buzón, y allí se dirigió con su hatillo al hombro. Mientras sobrevolaba el estanque vio que del buzón salían enormes nubes de polvo.

BANG!
BANG!
BAN
BANG!
BANG!
BANG!
BANG!
BANG!
BANG!
BANG!
BANG!

En medio de aquella polvareda estaba Jasper.
—¡Hola, Perlita! —canturreó—. Estoy haciendo una reforma guay en la cocina.

Perla echó un vistazo alrededor: palos, ladrillos, clavos y mucho polvo por todos lados.

—Ven a tomar el té mañana y la verás terminada. Bueno, menos cháchara, que tengo un montón de curro —dijo Jasper empuñando su martillo de elfo, que hacía un ruido ensordecedor.

¡BANG!

—¡Suerte! —gritó Perla para que la oyera, y entonces pensó—: Creo que tendré que pasar la noche en casa de la tía Brunilda.

Cerrado
por vacaciones
Tía Brunilda

Perla atravesó volando la ciudad hasta llegar a la tienda de la tía Brunilda en la torre del reloj. En la puerta había un cartel que decía:

«Cerrado por vacaciones.
Besos. Tía Brunilda».

—¡Raíces y tubérculos! —resopló Perla. Estaba agotada y con las alas mustias de tanto volar. Tendría que volver al Parque de la Alegría. Quizá podría quedarse a dormir en la tienda de Azabache, en el jardín de cactus.

Al llegar al parque, Perla vio con sorpresa que Azabache estaba haciendo la maleta.

—¡Perla, pareces muy cansada! —dijo Azabache—. ¡Te iría de perlas una siestecita!

—Sí, estoy rendida —suspiró Perla.

¡BANG! ¡BANG!

—¡No hay quien aguante este ruido! —dijo Azabache—. Me voy a pasar la noche a la Sierra del Arco Iris. Vendré cuando Jasper haya terminado de dar martillazos. ¿Por qué no te vienes conmigo?

Perla pensó que aquella podía ser la mejor solución a todos sus problemas. Se iría con Azabache y cuando regresara, encontraría la varita y volvería a pintar su casa de rosa.
—¡Gracias, Azabache! Me encantaría ir —dijo.

Después de un delicioso batido de piñones para recuperar fuerzas, Perla y Azabache emprendieron el largo viaje hasta el desierto. Sobrevolaron la ciudad, los bosques y cruzaron las arenas rojas hasta la casa de Azabache, en la Sierra del Arco Iris. Aquella noche Perla se acurrucó en el mullido colchón de plumas de pollito de cacatúa del tronco de Azabache, y se durmió contemplando el cielo del desierto, cubierto de estrellas.

Al día siguiente, en el Parque de la Alegría, Jasper había terminado su cocina, y voló hasta la casa de Perla para invitarla a tomar el té. El elfo se quedó boquiabierto al ver el caparazón de su amiga pintado de color gris.

—¡Qué mala onda! —exclamó Jasper. Entonces leyó el cartel «Recién pintado», y pensó que Perla no regresaría hasta que la pintura se hubiera secado. Jasper sabía que a Perla no le gustaba el gris y se le ocurrió una brillante idea.
—Ya verás qué sorpresa le daré —se dijo.

RECIÉN
PINTADO

Jasper volvió a su viejo buzón. Estaba buscando en un armario unos botes de pintura cuando Zafira asomó la cabeza.
—¡Ya era hora de que parases de dar martillazos! —gruñó—. Se te oía desde la otra punta del parque. No he pegado ojo en toda la noche y tengo tal dolor de cabeza que me tendré que pasar el día en la cama.

Jasper le explicó que había estado haciendo reformas en la cocina y que ahora iba a pintar el caparazón de Perla, para darle una sorpresa.

Zafira lo miró sonriente. Se le acababa de ocurrir una idea maléfica.
—Querido Jasper —dijo—, ¿por qué no descansas mientras yo me ocupo del caparazón?

Jasper no estaba seguro de que fuera una buena idea. Zafira no era de fiar.

—Es mi oportunidad para demostrarle a Perla que no soy tan mala, que he cambiado —dijo con voz dulce—. Por favor, déjame ayudar.

Jasper se alegró al oír que Zafira tenía tan buenas intenciones. Y de un salto se tendió en su hamaca de telaraña y se hizo un ovillo.

—¡Hecho! —dijo, y enseguida se quedó dormido.

Mientras tanto, en la Sierra del Arco Iris, Azabache le había enseñado a Perla las maravillosas flores del desierto, y ahora nadaban en un oasis de ensueño.

—¡Lotos y nenúfares! El desierto es un lugar tan tranquilo —suspiró Perla, estirándose sobre una roca a tomar el sol.

Lo que Perla no podía imaginar era que en ese momento, dos ratones apestosos, el Flaco y el señor Pulgas, subían por la escalera de madera a la vieja fuente de piedra.

Arriba, en el caparazón de
Perla les estaba esperando
Zafira con tres botes de pintura.

—¡Manos a la obra, animalotes!
—ordenó—. Si hacéis un buen
trabajo, os daré los pasteles
de pétalos de rosa que
hace Perla.

—¡Pasteles, qué ricos! —se relamió el señor Pulgas—. ¿Podré comerme media docena?

—¡Y después del festín nos daremos un baño relajante en su bañera! —añadió el Flaco.

—¡Un baño de burbujas! —aplaudió el señor Pulgas con sus mugrientas manazas.

—Cuando hayáis terminado, Perla no querrá ni oír hablar de vivir en este caparazón —dijo Zafira entre carcajadas—. Así que me mudaré aquí y me convertiré en la Reina del parque.

Y dicho esto, Zafira azuzó a sus compinches pinchándoles en el trasero con la varita.

—¡Ay, cómo duele! —chillaron los ratones y enseguida se pusieron a trabajar.

Era media tarde en la Sierra del Arco Iris cuando Perla decidió que había llegado la hora de volver a casa.

—Aquí se está muy bien, Azabache —dijo a su amiga—. Pero echo de menos mi caparazón.

—Sí, te acompaño —dijo Azabache, y después de guardar sus cosas, se pusieron en marcha hacia el Parque de la Alegría.

A medida que se iban acercando a la vieja fuente de piedra, Perla abría más y más los ojos. Ahora su caparazón estaba pintado de rayas verdes y moradas, con lunares naranjas.

—¡Puaj! —gritó Perla.

En ese momento, el Flaco y el señor Pulgas asomaron sus cabezotas peludas.
—¡Eh, ya veo que te encanta cómo hemos pintado tu casita, Perlita! —se burló el Flaco.

—¡Es un diseño súper! —se rió el señor Pulgas—. ¡Superdesagradable! ¡Ja, ja!

Perla agitó sus alas enfadada y sus ojos verdes lanzaron destellos de cólera.
—¡Ahora mismo os estáis quitando mi ropa!

—¡De eso nada! Esta es ahora nuestra casa. Y esta vez no podrás asustarnos con tu estúpida varita —gruñó el señor Pulgas.

—¡Así es! —se rió el Flaco—. Porque resulta que la hemos encontrado debajo de tu cama —añadió, usando la varita de mondadientes—. Y no pensamos devolvértela.

Perla estaba furiosa, más furiosa de lo que había estado jamás. Pero ¿cómo podría darles un escarmiento sin su varita?

Perla y Azabache pensaron que lo mejor era ir en busca de Jasper. Seguro que entre los tres idearían algún plan para echar del caparazón de Perla a esos ratones malvados.

Cuando Zafira vio que Perla y Azabache se marchaban a toda prisa, salió de la fuente y se escondió entre la hierba para ver el espectáculo.

Mientras tanto, en el interior del caparazón de Perla, el señor Pulgas se daba un baño y eructaba. Y el Flaco se mordía las uñas de los pies echado sobre la cama.

¡BANG! ¡BANG! ¡BANG!

—¿Qué ha sido eso? —gritó el Flaco, dando un brinco en la cama—. Sal de la bañera y ve a echar un vistazo ahí fuera —le ordenó al señor Pulgas.

Encima del caparazón de Perla, Jasper repicaba con su potente martillo de elfo.

Cuando el señor Pulgas asomó la cabeza, Azabache lanzó su lazo y atrapó al ratón rechoncho por la cintura, luego tiró con fuerza de él. ¡Ya lo tenían! Azabache lo bajó hasta el suelo con rapidez y aflojó el nudo. El señor Pulgas se desató y echó a correr como si le persiguiera el mismísimo diablo.

BANG! BANG!
BANG! BANG!
BANG!
BANG!

¡BANG! ¡BANG! ¡BANG!

—¡Socorro! —gritaba el Flaco tapándose las orejas con sus repugnantes patas—. ¡Parad ese maldito martilleo! —Desesperado agarró los botes de pintura y se los lanzó a Perla. Pero falló el tiro, y la pintura se derramó sobre la hierba.

Aprovechando el descuido, el ratón trató de huir.
—¡Allí! —gritó Jasper—. ¡Que no se escape!

Veloz como un rayo, Perla fue tras él. Azabache lanzó de nuevo su lazo pero no consiguió atraparlo. El Flaco había trepado al techo del caparazón y Jasper lo tenía agarrado por el rabo. Pero al intentar zafarse, el ratón perdió el equilibrio y ¡cataplaf!, cayó de cabeza en el agua de la fuente.

KER-SPLOSH

¡Menudo chapuzón! El Flaco nadó todo lo rápido que pudo hasta el borde de la fuente y salió de estampida a la otra punta del parque. ¡Adiós a otro ratón ratero!

—¡Viva! —gritaban a coro los tres amigos.

Al rato, Jasper vio que Zafira salía de su escondite, cubierta de pies a cabeza de pintura morada, verde y naranja.

—¿Conque una sorpresa para Perla? ¡Lo tienes bien merecido! —rió Jasper.

Zafira se marchó a su casa, al fondo del jardín, refunfuñando y dando trompicones, con las alas empapadas de pintura.

Jasper y Azabache trabajaron toda
la tarde para ayudar a su amiga Perla
a limpiar y ordenar su caparazón.
—¡Y ahora! —anunció Perla—, ¡el toque final!
Agitó su varita en el aire y, en un abrir y cerrar
de ojos, el caparazón se tiñó de un rosa intenso
que resplandecía a la luz de la luna.

Esa noche los tres amigos quedaron para cenar juntos en el caparazón de Perla.

—¡Hogar, dulce hogar! —dijo Perla sonriente, alzando su vaso de gaseosa de margarita—. ¡Y si además es rosa, mucho mejor!